Le loup
qui ne voulait plus marcher

Texte de Orianne Lallemand
Illustrations de Éléonore Thuillier

AUZOU

Un soir, Loup rentra chez lui épuisé d'avoir joué dans la forêt. Il avait les pieds gonflés et les jambes en papier mâché.

« Je ne marcherai plus jamais, dit-il à ses amis. C'est bien trop fatigant. »

2

Ses amis le regardèrent en pouffant.
Ce Loup, il était trop marrant !

3

4

En **janvier**, Loup s'acheta un vélo tout-terrain.

Quel bonheur de pédaler, museau au vent, sur les chemins et dans les champs ! Quand la roue de son vélo creva, Loup fut bien ennuyé, il ne savait pas comment la réparer. « De toute façon, du vélo j'en ai assez », décida-t-il.

En **février**, Loup partit aux sports
d'hiver avec ses amis.

À peine arrivé, il chaussa sa paire de skis dernier cri
et s'élança sur les pistes.
« Moins vite, moins vite ! » lui criait Alfred.

Pra-Loup

TROP TARD!

Au détour d'un chemin,
Loup s'écrasa sur un grand pin.
Finie la rigolade :
il avait une patte cassée
et le museau en marmelade.

En **mars**, Loup loua une jolie petite automobile, et il alla rendre visite à sa vieille tante Agapanthe. Agapanthe trouva la voiture épatante et Loup dut la promener toute la journée.

Quand il rentra chez lui, il avait mal
aux fesses et les jambes toutes bloquées.
« La voiture, plus jamais, grogna-t-il,
c'est une calamité ! »

En **avril**, Loup emprunta à Gros-Louis sa moto. Mais le casque sur ses oreilles et le blouson qui tenait chaud, pour lui, c'était trop.

En **mai**, Louve, sa chérie, lui offrit une magnifique paire de patins à roulettes. Pour l'épater il tenta une pirouette... et finit couvert de bandelettes !

En **juin**, Loup trouva une paire de bottes
de sept lieues. Il les enfila : le premier pas
le mena de l'autre côté de la forêt, le second pas,
plus loin encore, là où il n'était jamais allé...

« Enfin ! cria le loup enchanté,
j'ai trouvé chaussure à mon pied ! »

En criant, il réveilla deux ogres qui se mirent à hurler :
« C'est lui qui a volé les bottes ! Attrapons-le pour le goûter ! »
Vite, Loup se déchaussa et disparut dans un terrier.

En **juillet**, Loup s'acheta un billet de chemin
de fer pour aller voir la mer.

Hélas pour lui, des Indiens attaquèrent le train
et il passa les plus mauvaises vacances de sa vie...

En **août**, Loup emprunta
le tracteur du fermier.
Ce fut une grosse erreur.

En **septembre**, Loup accepta de conduire le carrosse
d'une princesse sans cocher. Bien mal lui en prit !
Il faillit finir en bouillie quand le carrosse se changea
en citrouille à minuit.

En **octobre**, Loup fut invité au mariage de sa sœur Sarah-Loup. Elle habitait au Canada, à des milliers de kilomètres d'ici.

« Enfin, je vais prendre l'avion ! » fit Loup tout excité.

À peine décollé, l'avion fut pris
dans une tempête terrible.
Il tanguait, plongeait, se redressait...
Les passagers étaient secoués
comme des pommes dans un panier.

Tonnerre, éclairs !

Le voyage fut un enfer,
et jamais Loup n'oublia
son baptême de l'air !

Loup passa chez sa sœur
quelques jours époustouflants :
il apprit à pêcher le saumon dans
les torrents et se fit des amis
absolument charmants.

Le loup de mer

En **novembre**, quand il fallut rentrer, le bateau lui sembla le moyen de locomotion rêvé : tranquille, relaxant... Voilà enfin ce qu'il lui fallait !

Mais c'était sans compter le mal de mer !
Au moindre roulis, Loup sentait son cœur
se mettre à l'envers...

Quand le bateau accosta enfin, Loup était
pâle et amaigri.
« Le bateau, c'est bon pour les matelots »,
déclara-t-il au capitaine.

Décembre était arrivé dans la forêt. Loup marchait tranquillement quand un traîneau vint se poser à ses côtés. « Hé l'ami ! fit une grosse voix, il se fait tard, voulez-vous que je vous dépose quelque part ? »

Loup leva les yeux vers le grand bonhomme rouge et il répondit :
« C'est gentil Père Noël, mais je vais marcher. Voyez-vous,
les deux pattes par terre, c'est vraiment ce que je préfère ! »

Direction générale : Gauthier Auzou
Responsable éditoriale : Laura Levy
Maquette : Annaïs Tassone
Fabrication : Olivier Calvet

www.auzou.fr

Mes p'tits albums de Loup

Le loup qui voulait changer de couleur

Le loup qui s'aimait beaucoup trop

Le loup qui cherchait une amoureuse

Le loup qui ne voulait plus marcher

Le loup qui voulait faire le tour du monde

Le loup qui voulait être un artiste

Le loup qui voyageait dans le temps

Le loup qui fêtait son anniversaire

Mes grands albums de Loup

Le loup qui voulait changer de couleur

Le loup qui s'aimait beaucoup trop

Le loup qui cherchait une amoureuse

Le loup qui ne voulait plus marcher

Le loup qui voulait faire le tour du monde

Le loup qui voulait être un artiste

Le loup qui voyageait dans le temps

Le loup qui n'aimait pas Noël

Le loup qui fêtait son anniversaire

Le loup qui découvrait le pays des contes